ふしぎ遊《ゆう》戯《ぎ》
③
渡瀬悠宇
＊少コミフラワーコミックス＊

ふしぎ遊戯《ゆうぎ》③

もくじ

▲夕城美朱《ゆうきみあか》
中《ちゆう》3の受験生《じゆけんせい》。

▲唯《ゆい》　美朱《みあか》の親友《しんゆう》。

あらすじ

美朱《みあか》と唯《ゆい》は、図書館《としよかん》で「四《し》神《じん》天《てん》地《ち》書《しよ》」という古《ふる》い本《ほん》を見《み》つけます。読《よ》み終《お》えれば願《ねが》いがかなうという、その本《ほん》の中《なか》へ、2人《ふたり》は吸《す》いこまれてしまいました。

その時《とき》はすぐに元《もと》の世界《せかい》に戻《もど》れたのですが、美朱《みあか》たちは再《ふた》び本《ほん》の中《なか》に…。

本《ほん》の中《なか》で、主人公《しゆじんこう》になってしまった美朱《みあか》は、紅南国《こうなんこく》の皇帝《こうてい》・星宿《ほとほり》に請《こ》われ「朱雀《すざく》の巫女《みこ》」になります。

志望校合格《しぼうこうごうかく》と元《もと》の世界《せかい》に帰《かえ》るという望《のぞ》みをかなえるため、鬼宿《たまほめ》、星宿《ほとほり》、柳宿《ぬりこ》の他《ほか》に4人《にん》の朱雀七星《すざくしちせい》の仲間《なかま》を捜《さが》さなければなりません。しかし、敵《てき》の倶東国《くとうこく》らしき者《もの》が美朱《みあか》を襲《おそ》い!?

●少コミフラワーコミックス●

第《だい》十三回《かい》

見《み》えざる敵《てき》

なつ…
美朱《みあか》!!
…いない…!?
…何《なに》かの術《じゅつ》で
見《み》えなく
しやがったか!

てーっ
…いたいのだーっ
な何《なに》この人《ひと》
…かみつくのもいーのだが
「朱雀《すざく》の巫女《みこ》」あんた倶東国《くとうこく》の連中《れんちゅう》に狙《ねら》われているのだ!

え!?
ではさらばなのだ!!
かぽ
スッ
ぱた…
な…何者《なにもの》なのよ一体《いったい》……
美朱《みあか》!!
どうした大丈夫《だいじょうぶ》か!!
鬼宿《たまほめ》!うん大丈夫《だいじょうぶ》…
大丈夫《だいじょうぶ》だけど…「狙《ねら》われてる」って一体《いったい》…
た…鬼宿《たまほめ》!!
ハッ

ザザッ
きゃっ
し…死《し》んでる!!
柳宿《ぬりこ》 何《なに》があった!?
ボキッ
…見《み》ての通《とお》りよ!
あーびっくりした
美朱《みあか》が引《ひ》っ張《ぱ》られて鬼宿《たまほめ》が飛《と》び込《こ》んでったのと同時《どうじ》に
美朱《みあか》のいた方《ほう》に向《む》けて矢《や》が飛《と》んできたのよ!
ぎゅっ
あたしが…狙《ねら》われてるって…あの人《ひと》言《い》ったの
この人達《ひとたち》…あたしのかわりに…!!
がくがく

だからそのキツネ顔《がお》が「朱雀《すざく》の巫女《みこ》」は倶東国《くとうこく》に狙《ねら》われてるって…
ばく
ばく
ショックうけたわりによく食べるわね
確《たし》かにこの国《くに》を護《まも》る朱雀《すざく》の巫女《みこ》は敵国《てきこく》にはジャマだろーな
……
んなカオすんなって美朱《みあか》オレがいるだろ！
オレが護《まも》ってやるから安心《あんしん》しな！
鬼宿《たまほめ》…

バン
ガシャン
鬼宿《たまほめ》さん 来《き》て下《くだ》さい 西《にし》の入口《いりぐち》に ヘンな奴《やつ》らが
…
何《なに》金《かね》ヅルか!!
コホン
い…いや そりゃ大変《たいへん》だ
柳宿《ぬりこ》クン 美朱《みあか》を頼《たの》むよ
何《なに》よ あたしより お金《かね》のほーが 大事《だいじ》なワケ!?
愛るって 今言ったくせにっ
ふんっ
…美朱《みあか》ぁ 七星《しちせい》捜《さが》す前《まえ》に 鬼宿《たまほめ》の金《かね》もうけ主義《しゅぎ》 治《なお》したほうが よくない?
いや 鬼宿《たまほめ》さんは 決《けっ》してムリな 金額《きんがく》は 取《と》りませんよ
いい人だ
なに言ってんのよ いい人ってのはね ボランティアで 用心棒する人の

何《なに》か…ワケがあるのかな…
3人だから3文のもうけっ
こしぶい
チュン…
チチ…
give《ギブ》
"与《あた》える"
glad《グラッド》
"うれしい"
ブッ
ブツ
ガタ…
grow《グロウ》
"成長《せいちょう》する"
カタ

ブルル…
鬼宿《たまほめ》
どこ行《い》くのこんな朝《あさ》早《はや》く…
トイレ?
じー
ついていってみよう!!
柳宿《ぬりこ》!柳宿《ぬりこ》起《お》きて!
スー
ほれ!
ぎゃーーァ!!
ぱっ

コン
ねェ どこ
いくのかな?
ううっ
…あんた!!
もし失明《しつめい》
してたら弁償《べんしょう》
してもらうから!!
お!
鬼宿《たまほめ》じゃ
ないか!
里帰《さとがえ》り
かい?
よォ!
久《ひさ》しぶりだな
おっさん!

ドキ…
どうやら彼《かれ》の出身地《しゅつしんち》らしいね
ここが…鬼宿《たまほめ》の生《う》まれて育《そだ》った所《ところ》…
あなんかうれしー
エヘヘ
カッ
美朱《みあか》
…兄《にい》ちゃん…？
兄《にい》ちゃんだ…
ガラン

…忠栄《ちゅうえい》 春敬《しゅんけい》 結蓮《ゆいれん》 玉蘭《ぎょくらん》！
…兄《にい》ちゃん!!
ドキン
…鬼宿《たまほめ》の あんなカオ 初《はじ》めて見《み》た

ふしぎ遊戯③

まあまあ、みな様 お元気でしょうか。第3巻! いやー早いものですなー ちなみに本誌はあと1作で(92'10月現在)4巻分が終わろーとしております。
んが、展開が早いため「んー、すぐ終わるかのー」と思っていたらとんでもごぜえません お代官様と来たもんだ。全然、ヘタすりゃ軽く10巻! うぅぇ それでも終わらないかも…6
まあ、長くお付き合い下さいまし。
ところで、2巻でワタセが泣きごとを書いたところ、たくさんのはげましのレターが来まして。いや、別にそんなつもりじゃないんですが、ああ心配させてしまいましたですね。大丈夫ざんす。
あんなことしょっちゅう考えてたらマンガ家なんざやってらんないざんすから、普段ヘラヘラして仕事してますよ。…でもたまにドーッとくる。
実際、ワタセは自分のマンガや絵は好きざますから(だいたいキライな絵を描くわきゃないやね)「見たくない」というのは口だけで刷り出し(1番最初に印刷してとじたやつ)はしっかり見てオンステージ(わからない方 本誌参照)見て喜んでますし グッズは「くれくれ」と担当にねだってますし。
未熟だから恥ずいだけなんスよ。
ま、そのうち上達するからその日を一生待ち続けやしょう。…こない?
(自信があるのとは別!! ヘタでもいい!!(笑))
あ、自信あるのは1つだけ、死ぬほどマンガ描くのが好きざんすね。これは人に負けない自信あるっスよ。でも他の人もそうよね…
ま、最近 読者層が広がったのか「あなたのマンガ、キライです」なんてのもたたたたま〜っにありますが。別にいいですけどこの方に私は全一生を拒否されたことになります。イジイジ…
最近、他の作家さんと冗談で言った「だったら てめェが描きくされ」(笑)描けねェくせにエラソーなこと言うんじゃねェ、と言うのは担当にボツにされた一瞬、マンガ家が誰しも1回は心でつぶやく言葉。(ウソウソ)ま、キツ〜イ 御意見にはこの1言で解決と。…なるのか!?
強がり… でも ぐすっ

…でも やっぱり ダメだよ なかなか 実《みの》らなくて
…そっか オレが出《で》稼《かせ》ぎに 出《で》て正解《せいかい》 だったな
…鬼宿《たまほめ》 わし達《たち》のことを 心配《しんぱい》してくれる のはうれしいが
…お前《まえ》も そろそろ自分《じぶん》の 幸《しあわ》せを考《かんが》えないと
このまま 一生《いっしょう》わし達《たち》の 面倒《めんどう》を見《み》るわけに いかないだろう …嫁《よめ》でももらって …
こそこそ
親父《おやじ》
いいんだ オレは…

さ そろそろ行《い》かねェと！ 忠栄《ちゅうえい》 オレの代《か》わりに みんなを頼《たの》むな
兄《にい》ちゃん もう 行《い》っちゃうの？
ぎゅっ
…行っちゃ だめ
ぎゅっ
ほら結蓮《ゆいれん》 人形《にんぎょう》買《か》って きたから
兄《にい》ちゃんの ほうがいい!!

…結蓮《ゆいれん》
兄《にい》ちゃんな
お前達《まえたち》が
幸《しあわ》せになるなら
なんでもしてやる
離《はな》れてても
いつもお前達《まえたち》のこと
思《おも》ってるから…
…家族《かぞく》のため
だつたんだ
じ〜ん
た…たま
ちゃんそば…
び〜む
…結蓮《ゆいれん》!!

結蓮《ゆいれん》どうした!?
ばっ
どうしたの!?
見《み》せて!!
…
すごい熱《ねつ》…
風邪《かぜ》かもしれないわ!

ベッドはどこ？
何《なに》か頭《あたま》を冷《ひ》やすもの用意《ようい》して！
汗《あせ》を出《だ》さなきゃいけないから上《うえ》にフトン重《かさ》ねるの
……
…これでよし！
じーー
…お前《まえ》…オレのあとつけてきたな…？
はっ
かぽ
…消《き》えない
消《き》えるかアホッ!!

ねェこの人《ひと》もしかして兄《にい》ちゃんのお嫁《よめ》さん!?
で!?
バッバカ そんなんじゃねエよ!!
かあっ
そっそーです あたしまだ中学生《ちゅうがくせい》だしっ!!
そんな問題じゃない
あんなこと言《い》って2人《ふたり》はすでにC《シー》までいってるんです お父《とう》さん
実は私とはAまで
ふーっ
柳宿《ぬりこ》!! 真顔《まがお》でデタラメぬかすな!!
ポカン
ちょっ こーなるからやだったんだよ!
…鬼宿《たまほめ》まつ赤《か》…
兄《にい》ちゃ…ん

た…鬼宿《たまほめ》 そばに いてあげて
あたし 水《みず》くんで くるから
…美朱《みあか》
…ありがとな

へへっ
なんかホントに
鬼宿《たまほめ》のお嫁《よめ》さんに
なったみたい
パシャ
はっ
そ…か
何《なに》言《い》ってんの
あたし…
お嫁《よめ》さん
どころか…
「彼女《かのじょ》」にも
なれるわけ
…ないじゃない
ズル…
彼《かれ》は本《ほん》の中《なか》だけの
人《ひと》なのに…

「四神天地書《しじんてんちしょ》」…星宿《ほとほり》に借《か》りてきたんだ
朱雀七星《すざくしちせい》1人《ひとり》1人《ひとり》のヒントが書《か》いてある…
そうだ…感傷《かんしょう》にひたってる場合《ばあい》じゃない
七星《しちせい》の残《のこ》り4人《にん》を早《はや》く集《あつ》めて唯《ゆい》ちゃんを見《み》つけなきゃ
僧
面
…僧《そう》と面《めん》? 何《なに》これ
すっ
どうかしたんですか?
ドキッ

サッ
え…なんでもないです
あなた…「朱雀《すざく》の巫女《みこ》」だね？
美朱《みあか》!?
鬼宿《たまほめ》？

ちょっと
鬼宿《たまほめ》!?
ズボッ
……
な
なんなのよ
ーーっ
ピタッ

バッ
トッ
……や……

バッ
ドッ!!
手《て》もふれずに！

ちっ
スッ
スッ
危《あぶ》ないとこだったのだ!
あなたあの時《とき》のキツネさん!!
バッ
ぱたぱた

お前《まえ》か美朱《みあか》が狙《ねら》われてるって言《い》ったのは！何者《なにもの》だ!? 人間《にんげん》か!?
失礼《しつれい》なのだーオイラ流浪《るろう》の旅人《たびびと》なのだ！
シャン
人《ひと》が忠告《ちゅうこく》したのに村人《むらびと》に化《ば》けた敵《てき》の気配《けはい》ぐらい感《かん》じとらないとダメなのだ鬼宿《たまほめ》クン
カチン
でもあいつらおっぱらってくれてありがと！
かぽ
…それともう1《ひと》つ
朱雀《すざく》の巫女《みこ》あんた自分《じぶん》の行動《こうどう》にこれからは責任《せきにん》を持《も》つのだ
でないとあんたのためにもっと犠牲《ぎせい》が出《で》るのだ

ナァアアァ
ハッ
しまった…まさか今《いま》の奴《やつ》らが!!
ダッ
ほら こーなるのだ
「犠牲《ぎせい》」…? そんな
あたしのせいで…!?

"四神"について教えてくりくり!!

…フーのがヒジョーに多い質問だったりする。
んーでもーこのまま話が続けばそのうち説明が出てくるワケよ。「でも少しぐらい教えて!!」という方のためにあたりさしさわりなく書いてみよーかの。太っぱら

星座として四神をあつかったのは見たことないので私が初めてかもしれない)
(フツーは方位やら"聖獣"やら、あとは名前だけ使うとか)

「魔龍戦記」とゆービデオアニメはコレでした。たしかアレも朱雀が女だった
エログロに近いのでお子様は見ないほうが…

だもので「星」の上でどういうものかお教えしましょう。(夜空見るの楽しくなるよ)

•「四神」はそもそも地相、方位、の他に、中国古代の星座の名前でして表にすると…

これはそのうち
話の中で出てくるかもよ

青	東方《とうほう》青龍七星宿 (5月〜7月)	→ 角《すぼし》(おとめ座)亢《あみぼし》(おとめ座)氐《とも》(てんびん座)房《そい》(さそり座) 心《なかご》(さそり座)尾《あしたれ》(さそり座)箕《み》(いて座)	二十八宿
白	西方《せいほう》白虎七星宿 (11月〜1月)	→ 奎《とかき》(アンドロメダ座)婁《たたら》(おひつじ座)胃《えきえ》(おひつじ座)昴《すばる》(おうし座)畢《あめふり》(おうし座) 觜《とろき》(オリオン座)参《からすき》(オリオン座)	
赤	ご存じ 南方《なんぽう》朱雀七星宿 (2月〜5月)	→ 井《ちちり》(ふたご座)鬼《たまほめ》(かに座)柳《ぬりこ》(うみへび座)星《ほとほり》(うみへび座) 張《ちりこ》(うみへび座)翼《たすき》(コップ座)軫《みつかけ》(からす座)	
黒	北方《ほくほう》玄武七星宿 (8月〜11月)	→ 斗《ひきつ》(いて座)牛《いなみ》(やぎ座)女《うるき》(みずがめ座)虚《とみて》(みずがめ座) 危《うるみや》(みずがめ座) 室《はつい》(ペガサス座)壁《なまめ》(ペガサス座)	

ちなみに、フツウ井だと「い」(せい)鬼だと「き」…等そのままのよみがなで書かれてある表が圧倒的に多くて、「たまほめ」等の読み方ののってるのは少ない。
私が最初調べた「仏教哲学大辞典」では最初から「たまほめ」とかでのってました。

この本はよほど大きい書店でないとないよ 8000円もするし

あとは高校で買った新釈漢和辞典のふろく(うしろのページ)に星座表となって出てます。朱雀七星の中では「星」が二等星で1番明るい。
四神の名称はこれらの星座の並びからつけられたもので、南方七星宿は短い尾に似てるから鳥、西方七星宿は虎の形に似てる、とかね。
だもので2月〜5月頃の夜空には朱雀七星が出てます。プレセペ星団の中にあるかに座の主星、それが「鬼宿《たまほめ》」です。
私は宇宙がとても好きだから自分のキャラと照らしあわせるとドキドキしますね。
あと「私の見たのでは『ぬりこ』が『めりこ』になってるんですが」あーそれは両方あるんでしょう。(でもほとんどが「ぬりこ」だよ)あと軫も「みつかけ」と「みつうち」両方あります。
「鬼たちは白虎七星になってましたが」そいつはハッキリいってまちがいです。

しかし「玄武」って切ないやね…あとのは龍とかかっこいーのに亀とヘビの交尾してる姿だなんてっっ!!
いやだ 呼び出したくないっ!!

第《だい》十四回《かい》

護《まも》ってあげたい

NYAN NYAN

キャーッ
兄《にい》ちゃーん!!
あたしのせいで鬼宿《たまほめ》の家族《かぞく》が——!?
親父《おやじ》…

兄《にい》ちゃーん!!
美朱《みあか》鬼宿《たまほめ》!!来《き》ちゃダメよ!!

くそっ
ビュッ
クイズ：一体このヒモはなんだろうくん
シュルッ
答え：クモの糸のような成分でできた糸
鬼宿《たまほめ》ーーっ!!
…はずれねェ!
どうだ
朱雀《すざく》の巫女《みこ》
この者達《ものたち》を
助《たす》けたければ…

おとなしく お前《まえ》が殺《ころ》されろ
さあ こっちへ 来《こ》い!!
あーん
あーん
あたしを殺《ころ》す ためだけに こんな小《ちい》さい子《こ》や 病人《びょうにん》まで…
美朱《みあか》!! よせ!!
スッ
シャン

ふしぎ遊戯③

さて、先にものべました通り、
毎回いろんな方の手紙を読ま
させていただいてますが、
まあいろいろと質問が多いっス
ね。みんな気になってるのが
どーやら残りの七星士で。
中には「こういうキャラにして」
と絵つきで送って来て下さる。
そー言われても連載前から7人
共作ってあったんで(実は)まあ
変更もなく1人1人出てきてます。
が、それぞれファンが別れてて
おもしろいもんですねェ。鬼宿派
は星宿キラってるし 星宿派は鬼
宿完全ムシと。あとは柳宿とか
ポイントあげてますねー。他のキ
ャラは美朱の兄ちゃんとか。
まあどの子もかわいーんでいーで
すけどね。うちのアシストさんの
間でも1〜3位が全部違うんで
おもしろい。そこでいきなり「声
優あてるなら誰か」ごっこにな
ってしまいアシの間でカンカン
ガクガク。読者さんからもけっ
こう来ますが私から見てあってな
いのが多いのよォ! ごめんね かといって
私も誰とはいえなかったが、「おも
ちゃ箱93」ではドラマになってし
まったので、とりあえずこちらから
指名できるのは美朱と鬼宿だけ。
アシさんに相談して決まりました
が、ま、スそれぞれで聞いてみて
下さい。私は大人っぽい男っぽい
(ついでに色気のある)声が好き。
あとは、んー そうそう「アニメイト」
のグッズが売り切れだった??
ってのが圧倒的に多くて、あんなー
本人のワタセがもらっとらんのじゃ!!
ええいわしの分を取っとかんかあ!!
しかも二千円分お買い上げにポス
ターが!? みんな知ってたかー!?
勝手にカレンダーは本屋におかれ
とるし うう本人は知らなんだお。カレンダー
と言へば、また文句くる前に言っ
ときますが、あれでも1枚ムリ
言って描きおろしふやしたんスよ。
ふっ 努力はしてるのよ。CDブック
の時も担当をときふせて描きおろし
たのにー くくく

両方♡ってのは少ないぞ

7・8月だけの一枚きりのやつだって

シュッ
くそっ
ドッ
ぽ
ビッ
…ひざに字《じ》が…
朱雀《すざく》七星《しちせい》!?
兄《にい》ちゃあん
あーん
あーん
ちっ

おっと
ぎゅっ
さて いろいろ 聞《き》かせて もらおう かしら
ギキギッ
ぎゃああっ
まず美朱《みあか》を狙《ねら》って何人《なんにん》倶東国《くとうこく》からこの国《くに》へ入《はい》り込《こ》んでるの！ 言《い》いな!!
ふー
ハッ
危《あぶ》ない!!

……
よく気配《けはい》を感《かん》じ取《と》ったのだ鬼宿《たまほめ》クン見直《みなお》したのだ!
いや――それほどでも
あんた達《たち》っあたしをかばう気《き》ないの!?
口封じ
ふ…ふふ今《いま》に見《み》ていろ…
「青龍《せいりゅう》の巫女《みこ》」が…見《み》つかりさえすれば…こ…んな国《くに》…など…
青龍《せいりゅう》の巫女《みこ》!?
どういうこと!?ねェ答《こた》えて…

…死《し》んだ…
…なんだ あんた朱雀七星《すざくしちせい》だったの！
おいら 井宿《ちちり》と言《い》うのだ ！
キツネさんじゃないのだ
あの… 顔《かお》の皮《かわ》 めくれてますけど…
平気なんですか？
ベリッ
大丈夫《だいじょうぶ》 スペアがあるのだ！
な なんか ヘンな奴《やつ》だけどさ
やったわね 4人目《にんめ》見《み》つけたじゃない 美朱《みあか》！
オカマよりマトモだと思うのだ
う…ん

それはうれしいけど…
兄《にい》ちゃあん
大丈夫《だいじょうぶ》だって井宿《ちちり》がこの村《むら》にもう敵《てき》の気配《けはい》はないってさ!
…あの
ごめんなさいあたしのせいで…
しゅん
なになに朱雀《すざく》の巫女様《みこさま》がこんなボロ屋《や》に来《き》て下《くだ》さっただけでもありがたい
ニコ
でも
そうだ美朱《みあか》気《き》にするな

お前《まえ》は何《なに》も悪《わる》くねェよ
あ これお菓子《かし》なの！おわびに1個《こ》あげようと思《おも》って！
ぴくっ
わあっ
ガツガツ
ガツ
ガツ
ううっ…おっお前達《まえたち》っ！
兄ちゃんがいたらないばかりにっ
ぐるるるー
みんな食べられちゃった…
…倶東《くとう》にも同《おな》じ七星《しちせい》の伝説《でんせつ》があるって!?
おいら旅《たび》の途中《とちゅう》で聞《き》いたのだ
この紅南国《こうなんこく》に「朱雀《すざく》の巫女《みこ》」が現《あらわ》れたのを知《し》って倶東《くとう》も「青龍《せいりゅう》の巫女《みこ》」を捜《さが》し出《だ》そうとしているのだ

考《かんが》えてみりゃ
そうよね
あの砂《すな》かけババア
…もとい太一君《たいいつくん》は
わしわし
四方《しほう》の国《くに》の
太祖《たいそ》それぞれに
「四神天地書《しじんてんちしょ》」を
渡《わた》したんだわ！
でも捜《さが》したって
異世界《いせかい》から
やって来《く》る女《おんな》の子《こ》
なんてそうそう
いるわきゃないのにねェ
唯《ゆい》ちゃん!!
もし…もし唯《ゆい》ちゃんが
その倶東《くとう》で
見《み》つかったら!?
それで
あたしみたいに
「青龍《せいりゅう》の巫女《みこ》」に
されたら…

あたし達《たち》
敵同士《てきどうし》に
なっちゃう
!!
…唯《ゆい》ちゃん…
あら美朱《みあか》！どーしたの青《あお》い顔《かお》して！
…行《い》かなきゃ!!
そーなる前《まえ》に唯《ゆい》ちゃん捜《さが》さなくちゃ!!
な…なんでもない！ちょっと用《よう》足《た》してくる！
美朱《みあか》？
きっと・・アレね
アレってなんですか？
……

倶東国《くとうこく》には
1人《ひとり》で行かなきゃ!
これ以上《いじょう》
鬼宿《たまほめ》に甘《あま》えて
危《あぶ》ない目《め》に
あわせたくない!
だから
ごめんね
──!

――美朱《みあか》!?
何《なに》かイヤな予感《よかん》がする 美朱《みあか》に何事《なにごと》もなければ良《よ》いが…
…朱雀《すざく》 我《われ》らが主護神《しゅごしん》よ
どうかこの国《くに》と…いつかあなたの力《ちから》を得《え》る娘《むすめ》・美朱《みあか》を護《まも》りたまえ…!

美朱《みあか》…もし私《わたし》が
鬼宿《たまほめ》や柳宿《ぬりこ》のような
自由《じゆう》な身《み》なら
いつもお前《まえ》の
そばにいて
命《いのち》をかけても
護《まも》ってやるのに
どうか
無事《ぶじ》で――
…遅《おそ》すぎる！
どこまで行《い》ったんだ
あいつは！
ダメかしらね。
……
美朱《みあか》ちゃん
出《で》しなに
「唯《ゆい》ちゃん」って
言《い》ったのだ
ちょっと待《ま》て
確《たし》かに「唯《ゆい》」って
言《い》ったのか!?
うん
どーやら
おいら達《たち》の話《はなし》を
聞《き》いてて様子《ようす》が
おかしくなった
ようなのだ

唯《ゆい》…初《はじ》めて美朱《みあか》に会《あ》った時《とき》一緒《いっしょ》にいた…？
じゃまさかあの子《こ》もこの世界《せかい》に!?
ハッ
ダッ
鬼宿《たまほめ》!?
柳宿《ぬりこ》井宿《ちちり》!!弟達《おとうとたち》を頼《たの》む!!
どーしたのよ一体《いったい》!!
スッ
さておいらも様子《ようす》を見《み》させてもらうとするのだ！

倶東国《くとうこく》？
なら
あっち
方向《ほうこう》だよ
あそこの
森《もり》をぬければ
近道《ちかみち》だ
はっ
気付《きづ》かれる
前《まえ》に遠《とお》くへ
行《い》かなきゃ!!
…しもうた!!
待《ま》て そっちの森《もり》は
危《あぶ》ないいっ!!
でも
コワイから追わない
カァ
カァ
やだなー
なんか
うす暗《くら》い
ザッ
うん？

とら――っ!?
ど…どうしよう
このままでは松○ト○子だっ
そうだ 死《し》んだフリ!!
ばた
はっ 違《ちが》う これはクマだ!!
こうなったら!!
擬《ぎ》態《たい》
ワタシは木
ガァッ
あーっ やっぱダメ――!?

グルル
た…鬼宿《たまほめ》…
がく
がく
はっ
だめよ…もう迷惑《めいわく》かけないって決《き》めたでしょ!!
こんなの受験《じゅけん》に落《お》っこちる怖《こわ》さに比《くら》べたら平気《へいき》よ!!
こっちの方が怖いっつーの
ぎゅっ
く…来《く》るなら来《き》なさいよ!! 逆《ぎゃく》に食《た》べちゃうからね!!

ビリュッ
ガルッ
…美朱《みあか》!!
ぎゃーっ うそです ごめんなさい ——っ
た…鬼宿《たまほめ》…

ガアッ
……
や…やめてよもう…
あたしのために危《あぶ》ないことするのやめて!!

何《なに》言《い》ってンだ…!?
放《ほう》っておけるわけないだろ!
1人《ひとり》で唯《ゆい》って子《こ》捜《さが》しに行くつもりだったんだろうけど
現《げん》に今《いま》もこのザマだ!
オレがいないと…
「いつか あんたのために 犠牲《ぎせい》がでるのだ」
…それが イヤなの! つらいのよ!
あたしのことは 放《ほう》っといて!

…オレが
そばにいちゃ
だめなのか…?
ドキン
ドキン
お前《まえ》が
いなくなった
3か月間《げつかん》
逢《あ》いたくて…
気《き》が狂《くる》いそうだった
ドキン
ドキン

その時《とき》オレ初《はじ》めて自分《じぶん》の気持《きも》ちに気付《きづ》いた
ぎゅっ
もうオレはお前《まえ》のいない世界《せかい》なんて考《かんが》えられない……
オレが必《かなら》ず護《まも》ってやる…何《なに》があっても二度《にど》とオレから離《はな》れるな――!
鬼宿《たまほめ》

あたしだって
いつも
こうしていたい
この腕《うで》の中《なか》で
安心《あんしん》してたいよ
鬼宿《たまほめ》はあたしを
護《まも》ってくれる
きっと命《いのち》をはってでも——
でも
鬼宿《たまほめ》に何《なに》か
あったら
家族《かぞく》の人達《ひとたち》は
どうなるの
好《す》きな人《ひと》に
これ以《い》上《じょう》迷《めい》ワク
かけたくない——
ズル…

どうした
美朱《みあか》
大丈夫《だいじょうぶ》か!!
ぐるるる—
い…行《い》くより
何《なに》より動《うご》けないわ
おなかすいて…
今 動くと 気持ち悪い
…どこにも
いかない
1人《ひとり》じゃやっぱり
コワイもん
…本当《ほんとう》だな?
うん
…でねお願《ねが》い
柳宿《ぬりこ》と乗《の》ってきた
馬《うま》にお菓子《かし》入《はい》った
袋《ふくろ》があるの!
取《と》ってきて欲《ほ》しいな!
…よし
じゃあすぐ
取《と》ってくるから
待《ま》ってるんだぞ
!
ジー
…
ちゃんと
待《ま》ってる
わよー
あたしの
食《く》い意地《いじ》
知《し》ってる
でしょ!

ガラ
ガラ
ガラ
よろっ
たたっ
ガラ
ガラ
ドサ
ガラ

あたしは
唯《ゆい》ちゃんを
捜《さが》さなきゃ
これはあたし達《たち》
親友同士《しんゆうどうし》の
問題《もんだい》だから…
ごめんね
鬼宿《たまほめ》
ガラ
ガラ
ガラ
……

琮《SŌ》 鬼《KI》 宿《SHUKU》

かに座

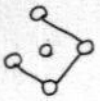

TAMAHOME

・紅南国 寿霜県白江村生まれ うーんいかにも ・B・D 朱雀だから2月〜5月の間？ 現17歳

・父と弟2人 妹2人、母は12歳の時他界 ・能力：格闘技全般 て生まれつきの能力のこと。

・身長180cm ・多分O型 ・シュミ：金もうけ

・病気の父のかわりに家族をやしなうためがんばって働く長男。お兄ちゃんである。
そのため面倒見がよく、しばしば人に迷ワクをかけられる。でも「しょーがねーなー」としてやる。
表面上 明るいしよくカオをくずすが内面硬派（だと思う）純で
照れ屋さんである。（家族の幸せのため、禁欲《ストイック》的に成長した）美朱を1回ふったのもそのためさ
自分の身をかえりみず他人を護り、どんな敵でも ものおじしない。

ケの
今は短くなった たまで 皆さん
なれたみたいですが、2巻と比べて毛が
ちゃんとのびてることにお気づき？
アシSさんと「誰もつっこんでこないな」と話してたの

第《だい》十五回《かい》

囚《とら》われの少女《しょうじょ》

中1~3
英単語集
うーん…
…ダメだ
全然《ぜんぜん》集中《しゅうちゅう》
できないや
ぎゅるるる〜〜
…鬼宿《たまほめ》
どうしてるかな…
「ここでちゃんと
待《ま》ってろよ」

だまして勝手《かって》に出《で》てきちゃって…怒《おこ》ってるだろうなあ…
でも…どうしても唯《ゆい》ちゃんを捜《さが》さないと
倶東国《むこう》につかまって敵同士《てきどうし》になるのヤだもん…
ガタン
どわっ
ドシャ
うん?
あ!
なんだこのコ!!
ひくひく

…美朱《みあか》がいなくなった!?
きゅっ
あのバカ1人《ひとり》で倶東国《くとうこく》に行《い》く気《き》だ
ダッ
連《つ》れ戻《もど》してくる!!
ちょっとあんた1人《ひとり》で行《い》く気《き》!?
…兄《にい》ちゃん!!

ところで、あまりのハードなスケジュールに、今年は地元の祭りに帰れませんでした。
ところが今年、東京でいたにもかかわらずTVでバンバン出ててビックリだ!! ふっイナカ イナカと思ってはいたが有名になったもんだ…
でも見てて思った。電信柱にぶつかり倒れる地車に、7人おなくなりになるわ、荒れているぞ、どーした岸○田! あえてふせ字 帰ったらさぞかしコーフン…もといコワかったろう。TVだから平気で見てましたが。
ううむ 地元でいる時もっと宣伝しときゃ良かったぜい(何を?)
弟は帰りたがってましたがねー 母は苦手らしくて。こわいらしい
うちの両親は大阪市内生まれなんで地元ではないんですがね、私はあのタイコの音を聞くと血がさわぐんだああ——っ
高3の時は友達とハッピを来て地下たびはいてウロウロしてましたが地車はひかなかった。でも男のコのハッピ姿はいーもんスよ。町によってデザイン違うし。うちの町は黒地に白文字だけでシンプルだったが…
地元の人達はもー正月とかよりも祭りが好きで。全国にちらばってる人がこの日には仕事おいてでも帰ってくるという…すまーん
だって小学校とか休みになるんだよ。すげーよな。下の祭りが9月で上の祭りが10月と別れてますが、上に住む子は両方学校が休みになるという。(私がそーだった)東京にひっこして翌年帰った時はイトコ(♀)がこけて綱に数十メートルひきずられてもつかまっていたらしい。足がすって血が出たのにまたひきに行く。あれって綱から手を離すと地車にひかれちゃうんで、こけても絶対離せないのだよ。まあ、横に世話役だのなんだのとおじさんがひっぱり出してくれますけどね。
「コワーイ」と思うでしょーが、有名人けっこー出てるよ。西武の清原とか(友達が近所だったとか)デザイナーのコシノ親子とか、あと俳優とかetc…ま、マンガ家は私が初めてだと思うよ。

来年の祭りは帰ろーっと

……
にこっ
…行《い》って らっしゃい!
鬼宿《たまほめ》!!
柳宿《ぬりこ》! お前《まえ》は栄陽《みやこ》に 戻《もど》って星宿様《ほとほりさま》に お知《し》らせしろ!
でも あんた 1人《ひとり》じゃ
…オレな… 今《いま》まで家族《かぞく》の ためだけに 生《い》きてきたんだ

みんなが幸《しあわ》せになるまで自分《じぶん》の望《のぞ》みなんて捨《す》てる気《き》だった
…だから女《おんな》なんて目《め》に入《い》れる気《き》もなかったよ
でも美朱《みあか》は突然《とつぜん》現《あらわ》れてどんどんオレの中《なか》に入《はい》ってきて…
オレは…あいつが好《す》きだ
——だから命《いのち》をかけても護《まも》ってやる!
た…たま
…
だから「たま」で止《と》めるなよ!!
ネコじゃねーんだから!!

おかわりして いーですかあ？
あの…あんた本《ほん》っ当《とう》に朱雀《すざく》の巫女様《みこさま》かい？
よく食うなー
はい！ほら「四神《しじん》天地書《てんちしょ》」もあります！
いいじゃないかあんた！
ハキハキしてるコは好きだよ
いや お前《まえ》がそういうなら…
…仲《なか》いいんですね
新婚《しんこん》3か月《げつ》！
ブイ
…鬼宿《たまほめ》…

チチチ…
…じゃあ この娘《こ》頼《たの》むよ
良《よ》かったね 美朱《みあか》ちゃん 国境《こっきょう》まで 行《い》く人《ひと》が 見《み》つかって
気ィつけてな
はい! どうも お世話《せわ》に なりました
あの… もう1つ お願《ねが》いして いいですか?
もし私《わたし》を捜《さが》して 「鬼宿《たまほめ》」って17歳《さい》くらいの 男《おとこ》のコがきたら 伝《つた》えて欲《ほ》しいことが あるんですけど…
……

…何《なに》!?
美朱《みあか》が1人《ひとり》で倶東《くとう》へ向《む》かったと申《もう》すのか!!
…はい!申《もう》しわけありません私達《わたしたち》がついていながら…
美朱《みあか》を連《つ》れ戻《もど》しに行《い》く!
なりませぬ!敵国《てきこく》に皇帝《こうてい》自《みずか》らおもむくなどもってのほか!
すぐ馬《うま》を引《ひ》け!
陛下《へいか》!何《なに》をなさるおつもりです!?
しかしもし美朱《みあか》に何《なに》かあったら…

冷静《れいせい》におなり下《くだ》さい!!
戦争をこちらから引《ひ》き起《お》こすおつもりですか!!
……
…分《わ》かった…放《はな》せ
…どうかしていた
すぐ兵《へい》に命《めい》じて早馬《はやうま》を
朱雀《すざく》の巫女《みこ》を連《つ》れ戻《もど》すのだ!!
……

確《たし》かに倶東《くとう》に
行《い》くには
この村《むら》を通《とお》る
はずだけど
カッ
1人《ひとり》でそう
遠《とお》くへ行《い》ける
はずは…
カタ
あーーっ!!
!?
あんた!!
今《こん》っ度《ど》こそ
「鬼宿《たまほめ》」!!
絶対確実《ぜったいかくじつ》!
なんだ
なんだ
またか
悪《わる》いね
こいつ2日前《ふつかまえ》に
女《おんな》のコに
ことづけ頼《たの》まれて
あんたぐらいの
歳《とし》のもんが通《とお》る度《たび》
鬼宿《たまほめ》だ鬼宿《たまほめ》だと

女《おんな》のコって…まさか美朱《みあか》!?
えっ本物《ほんもの》!?
ことづけってなんのことです!?
カッ
カッ
カッ
「あたし1人《ひとり》で大丈夫《だいじょうぶ》だから追《お》いかけないで」
…どうしてだ美朱《みあか》…!
どうしてオレから離《はな》れようとするんだ!?
…さん
…美朱《みあか》さん!
国境《こっきょう》だよ関所《せきしょ》を越《こ》えれば倶東国《くとうこく》に入《はい》る
ホント?ここまでありがとうおじさん!

やっと ついた!!
唯《ゆい》ちゃんが ここにいるか どうか わかんないけど…
ゴロゴロゴロ…
あたつて 砕《くだ》けろ だわ!
あ、どーも ごくろーさま
おい 通行証《つうこうしょう》は どうした
通行証《つうこうしょう》!? そんなもん いるの?
生徒手帳なら あるけどっ
あたり 前《まえ》…ん?
はら…
ひそ ひそ
…おい… この格好《かっこう》
ひそ ひそ
そういえば 上《うえ》から聞《き》いていたな 異界《いかい》から やってくる娘《むすめ》のこと…
まさか…こいつが その「青龍《せいりゅう》の巫女《みこ》」 じゃ…!?

なるほど…唯《ゆい》ちゃんはまだ見《み》つかってないと見《み》た!
…そう! あたしその「青龍《せいりゅう》の巫女《みこ》」なの!
てなワケでここ通《とお》してね!
がしっ
待《ま》てっ証拠《しょうこ》は!?
あーっ
杉本彩《すぎもとあや》とかとうれいこがビキニで歩《ある》いてるっ
ボガッ
ワケわからんこと言《い》うなっ
スッ
細川ふみえは?
ビッ
ピッ
う…動《うご》けな…
今《いま》のうちっ♪

カッ
ビクッ
ひーっ
カッ…
あ…青《あお》い目《め》…？
何《なに》この人《ひと》…

…一体《いったい》なんのさわぎだ
しょっ…将軍《しょうぐん》!!
そ…それが…か…身体《からだ》が…動《うご》か…
なんのマンガだコレ
…呪縛《じゅばく》か他愛《たあい》ない
ハッ
あ…
!
ところでこの娘《むすめ》はなんだ?
はっ それが「青龍《せいりゅう》の巫女《みこ》」だと申《もう》す者《もの》で…
青龍《せいりゅう》の…?

これは願《ねが》ってもない!お捜《さが》し申《もう》しておりました
ストッ
あれ?フンイキがやさしくなつた…
ドキ
ホ
おい誰《だれ》かすぐに都《みやこ》に戻《もど》って陛下《へいか》にお伝《つた》えしろ
今《いま》から「青龍《せいりゅう》の巫女《みこ》」を連《つ》れて参上《さんじょう》するとな
ゲ
まっまずい!!
こっ困《こま》りますっあたし人捜《ひとさが》しにきたんでまたの機会《きかい》に…
おい!!通行証《つうこうしょう》は!?
んなもんあるかよ通《とお》せ!

鬼宿《たまほめ》!?
放《はな》せ！オレは人《ひと》を捜《さが》しに…
こんな遠《とお》くまであたしを追《お》いかけてきてくれたの…!?
鬼宿《たまほめ》…
サッ
あたしを連《つ》れてって…早《はや》く！

今《いま》ここで
声《こえ》をあげたら…
「ここだよ」って
言《い》ったら
きっと
すぐ飛《と》んできてくれる
…でもそしたら
また鬼宿《たまほめ》に迷《めい》ワクが
かかる…
だから…
はっ
…美朱《みあか》!?
美《み》…
がばっ
どーも
すみません
なのだ!
こいつ
お酒《さけ》が
入《はい》ってるのだ
失礼《しつれい》するのだ!
ザ
ザ
ザ
ザ
井宿《ちちり》!
お前《まえ》…
しーっ
どうやら美朱《みあか》は
倶東《ここ》の皇帝《こうてい》に引《ひ》き
あわされるらしいのだ

まっこうから行《い》っては危《あぶ》ないのだ
おいらにまかせるのだ!
ドーーン
ズーーン
ズーーン

エ…エライことになつてしまつた
バレたら殺《ころ》されそう…
…ほお！ そちがこの四神天地書《しじんてんちしょ》に記《しる》されている青龍《せいりゆう》の巫女《みこ》とな
ゲー
同じ皇帝でも星宿と全然ちがう
カポ
そのようです陛下《へいか》
サラ…

関所《せきしょ》の前《まえ》で往生《おうじょう》しているところを連《つ》れて参《まい》りました
どひゃーっ金髪超美形《きんぱつちょうびけい》!!
ギャージンさんだあっ
これが将軍《しょうぐん》!?
ははは
そうかでかしたぞ!!
これで紅南国《こうなんこく》の朱雀《すざく》の巫女《みこ》など恐《おそ》るるに足《た》りぬ
あの若僧《わかぞう》も今《いま》に半《はん》ベソをかいて余《よ》の足元《あしもと》にひざまづくわ!
ちょっとおじさん!!敵同士《てきどうし》だからって紅南《こうなん》の皇帝《こうてい》甘《あま》く見《み》ないでよね!!
カチン
星宿《ほとほり》のこと知《し》りもしないくせに!!

ほ!?
ざわっ
はっ
ほっほっ…
ざわ
ざわ
ざわ
ホータル
こいつっ
……
……
…陛下《へいか》…
実《じつ》はもう1人《ひとり》
お引《ひ》きあわせ
したい者《もの》が
ございます
なんなんかなー
スッ
スッ

…ゆ……
唯《ゆい》ちゃん…!!
フラ…

！
…唯《ゆい》ちゃん…
ホントに…!?

…美《み》…朱《あか》…!!
…唯《ゆい》ちゃあん!!
ドサ
…良《よ》かった!!
無事《ぶじ》だったんだね!!

美朱《みあか》…!
あんた元《もと》の世界《せかい》に戻《もど》ったんじゃ…
唯《ゆい》ちゃんを捜《さが》しにきたの!!
ポロポロ
唯《ゆい》ちゃんのおかげで向《む》こうへ帰《かえ》ったらおじさん達《たち》が唯《ゆい》ちゃんがいないって…
だからあたしここにきたんじゃないかって…でも良《よ》かった!!
あたしを…捜《さが》すためにわざわざ戻《もど》ってきたの…?

友達《ともだち》だもん！
…一緒《いっしょ》の高校《こうこう》受《う》かろうって約束《やくそく》したじゃない！
…そっか…
ありがと美朱《みあか》…
唯《ゆい》…
どっちが…どっちが青龍《せいりゅう》の巫女《みこ》なのだ!?
ざわ
ざわ

!
これは…朱雀《すざく》の「四神天地書《しじんてんちしょ》」!?
——では お前《まえ》が
朱雀《すざく》の巫女《みこ》か!!

第《だい》十六回《かい》
青龍《せいりゅう》の巫《み》女《こ》

サラサラ
ロングヘアーの唯
中2頃まで長かったんだよ
男のコにモテてモテてうっとーしいから
男みたいにバッサリ切ったとか…
自まんの友達

お前《まえ》が紅南国《こうなんこく》の朱雀《すざく》の巫女《みこ》か!
最初《さいしょ》からそうではないかと思《おも》ってはいたが…
…ひっとらえよ!!
ザッ

バタバタ
申《もう》し上《あ》げます 城門《じょうもん》を破《やぶ》って 不審《ふしん》な者《もの》が 入城《にゅうじょう》して きました!!
数人《すうにん》で取《と》り押《お》さえ ようとしましたが 歯《は》がたちません!!
ざわっ
よろっ
ドーン
うわっ
唯《ゆい》!! 逃《に》げよう!!

…ムダなことを
追《お》え!! ただし 唯様《ゆいさま》には そそうのない ようにな!!
ダッ
バタ バタ
はあ はあ はあ
美朱《みあか》… どうするの これから
なんとかして 一緒《いっしょ》に紅南国《こうなんこく》に 行《い》こう!
唯《ゆい》ちゃんが この国《くに》の青龍《せいりゅう》の巫女《みこ》に なんかなったら あたし達《たち》敵《てき》同士《どうし》に なっちゃうもん!
鬼宿達《たまほめたち》だって きっと喜《よろこ》んで 迎《むか》えて くれるわ!
…鬼《たま》…宿《ほめ》?

…唯《ゆい》ちゃん どうしたの この傷《きず》!!
ああ なんでもない… ただの傷《きず》だよ
3か月前《げつまえ》に あの図書館《としょかん》で 四神天地書《しじんてんちしょ》から 青《あお》い光《ひかり》が出《で》て… この本《ほん》の中《なか》へ 入《はい》った時《とき》 ケガしたみたい
突然《とつぜん》ここに 吸《す》い込《こ》まれて 途方《とほう》にくれてたら
あの人《ひと》が 助《たす》けて くれたんだ
あつくるしい カッコだな しかし

あの人《ひと》…金髪《きんぱつ》で青《あお》い目《め》の？違《ちが》う国《くに》の人《ひと》だよね
ああ「胡人《こじん》」だって言《い》ってた
・・・コジン？
それは「故人《こじん》」!!
ズキーッ
ゴロゴロゴロ…
サー…
!
……

※胡人《こじん》(異民族《いみんぞく》)

タッ
…美朱《みあか》は
どこだ

ゴロゴロゴロ
…朱雀七星《すざくしちせい》か
「鬼《たまほめ》」…だな巫女《みこ》のために敵国《てきこく》に1人《ひとり》でくるとは
見上《みあ》げた心《こころ》がけだ…というよりただのバカか
…美朱《みあか》はどこだと聞《き》いている
さあ…どこにいようと返《かえ》すわけにはいかん
…そうかなら
腕《うで》ずくで返《かえ》してもらう!!

ガ
ッ
ストト…
ピ
キッ
くっ
ガクッ
バシャ
今《いま》一瞬《いっしゅん》触《ふ》れただけで…!?
こいつ

強《つ》え!!
いったん
逃《に》げるのだ
鬼宿《たまほめ》!
見守っていた
ピッ
ビ!!
ッ
呪縛《じゅばく》…
まだ
朱雀七星《すざくしちせい》が
いるのか
ダッ
井宿《ちちり》…
すまねェ!!
バシ
だっ

朱雀七星《すざくしちせい》か…かわいいじゃないか
…いたか!?
あっちを捜《さが》せ!
このままじゃラチがあかないな
あ
四神天地書《しじんてんちしょ》忘《わす》れてた…!あれには七星《しちせい》残《のこ》り3人《さんにん》のヒントが書《か》いてあるのに!
あの人《ひと》から返《かえ》してもらわなきゃ!
ばか!今《いま》出《で》ていったら…
じたばた

お前《まえ》ら…
ドス
ズル…
…た 鬼宿《たまほめ》!!
美朱《みあか》…!!
さっ
やばっ
…あ

…鬼《たま》…宿《ほめ》？
…えと…唯《ゆい》…だっけ
…久《ひさ》しぶり
…覚《おぼ》えててくれたの…？

ふしぎ遊戯③

そうそう.「ふしぎ遊戯」ってタイトルはどこから来たのか?という質問ですが.あまりタイトルに苦労しない私が超困ったのが今回。18歳の時からシリアスな話だったためストレートに「朱雀」としてたのが とーぜんダメで.イメージのあうタイトル付けに苦労しました。んで.いろんな雑誌からひき出し組みあわせ韻をふんでていい.ということになって決定しました。
今思うとなかなかナイスなタイトルだと思う。「遊戯」って香港映画でよく出てくるらしいし。ブルース・リーの「死亡遊戯」とか。意味は「遊んで戯れる」というよりは「ゲーム」というほうがあってます。要するに"不思議なゲーム"という意味かな?
そうそう.実際アシストのMさんとパソコンゲームの話になって「ふしぎ遊戯」ってモロ ゲームになるよってなことになって 延々話す話す。これが自分の作品だからってなワケじゃないけど おもしろいんだよ.まずパソコンゲームだと.ストーリー紹介がフツーの絵で始まって次からゲーム始まるワケだけどこう.四神天地書がバッと開いてマップが出るわけよ。倶東国とか星宿の宮殿とか大極山とか鬼宿の村とか.マンガの話にそってもいーし.好きなトコから始めたりして、7人を捜していくのよ。んでRPGだから突然敵が現れたりして.するとみんな能力違うから戦闘パターンが変わるワケだ。「あっ負けそう!」とかなったら「井宿」を呼び出したら笠がニュッと現れてそこから井宿がポンッと出てきて術を使ってくれるとか。死んだとしても鬼宿だったら旅の間にお金をためてくと一定のトコで生き返ったり。
「いきなり倶東国に行ったら経験値がないからすぐやられるよ」心宿に「美朱がプレイヤーだからパワーの他にLOVEパワーゲージもあんじゃない。鬼宿と離れたらダウンするとか」「現実に帰ったらゲームオーバーでさ」「いや兄ちゃんの助言とかあるんだよ」ノリにノリまくって私達の話はとめどなく続いたのだった。
つづく

「ミラクルゲーム」ってゆーとダサイ

痛《いた》っ…
どっ どしたの!?
…たいしたことねェよ あの「胡人《こじん》」に足《あし》を ちょっとな
ウィーッ 姉ちゃん いいカラダ してんなあ
それは「おじん」!!
ともかく あの人《ひと》が やったんだね!? あたし話《はなし》 つけてくる!!
えっ
四神天地書《しじんてんちしょ》と 2人《ふたり》を国《くに》に返《かえ》す ように… あたしのことも!
大丈夫《だいじょうぶ》 彼《かれ》はあたしには 逆《さか》らえないから!
唯《ゆい》…!
………
チッ…
…なんで こんな勝手《かって》な ことをした?

まだ唯様《ゆいさま》と朱雀《すざく》の巫女《みこ》は見《み》つからんのか！
スッ
…
…唯様《ゆいさま》！
どこにいらしたのだ！朱雀《すざく》の巫女《みこ》と共《とも》に行動《こうどう》するのは感心《かんしん》いたしませんな
あたしは青龍《せいりゅう》の巫女《みこ》じゃない！その話《はなし》はとっくに断《ことわ》った！
美朱《みあか》は友達《ともだち》だ！現《げん》にあたしのためにここまで来《き》てくれた！四神天地書《しじんてんちしょ》を返《かえ》して！あたしは美朱《みあか》と鬼宿《たまほめ》と紅南国《こうなんこく》へ行《い》く！

……
…そうですか
あなたが思《おも》うほどあの娘《こ》はあなたを思《おも》っているのか？
スッ
ならばあなたの好《す》きになさるが良《よ》い …ただ
…もし気《き》が変《か》わられたら※廟《びょう》へお越《こ》し下《くだ》さい
—あなたが3か月前《げつまえ》私《わたし》に見《み》つけられた時《とき》の状態《じょうたい》を思《おも》い出《だ》しなさるがいい
ダッ
※神仏《しんぶつ》を祭《まつ》ってあるところ

…オレに護《まも》られるのがつらいと言《い》ったなどうしてだ？
あ…あたし1人《ひとり》でなんでもできるもん
それに今回《こんかい》は友達《ともだち》同士《どうし》のことだし鬼宿《たまほめ》には…
はあ
はあ
オレにはカンケーないって言《い》うのか！
…お前《まえ》オレが迷《めい》ワクなのか？
はっ
美朱《みあか》…

…鬼《たま》…宿《ほめ》…

オレが迷《めい》ワクなら それでもいい
でも… オレはお前《まえ》が 好《す》きだ!
ドクン
ドクーン
ドクーン
ドクーン
ドクーン
迷《めい》ワク… なんて
だって…あたし 向《む》こうに帰《かえ》ってからも 鬼宿《たまほめ》のこと 忘《わす》れられなくて
会《あ》いたくて… だから 戻《もど》ってきたのに

鬼宿《たまほめ》が
好《す》きだから…
あたしのために
危《あぶ》ないこと
させたくないから…
…バカ
…鬼宿《たまほめ》…！
ぎゅっ

…鬼宿《たまほめ》…
「あなたが3か月前《げつまえ》 私《わたし》に見《み》つけられた時《とき》の 状態《じょうたい》を思《おも》い出《だ》し なさるがいい」
美朱《みあか》
ぱっ
ほら四神天地書《しじんてんちしょ》 …話《はなし》ついたから 帰《かえ》ろう
にこっ
あたしも一緒《いっしょ》に 紅南国《こうなんこく》へ行《い》くよ

でも良《よ》かった！ ホントに唯《ゆい》ちゃんも 一緒《いっしょ》に行《い》けるんだね！
…でも どうも あっさり すぎねェか？
唯《ゆい》ちゃんを 助《たす》けてくれたんだもん 悪《わる》い人《ひと》じゃなかったのよ
そお？ 感《かん》じワリイ 奴《やつ》だった けどな〜
ギィイ
わあ まっくらね！
たたっ
ん？

でえええええええっ
美朱《みあか》!? どうした…
なっなんだ!?
バターン
スッ
しまったのだ!!
井宿《ちちり》!?
今のシャレか!?
まずいな…「結界《けっかい》」がはられているのだ…ここには朱雀《すざく》の者《もの》は入《はい》れないのだ!

…何《なに》!?
ゴロゴロゴロ…
なーんだ 作《つく》りものの龍《りゅう》じゃない 人《ひと》さわがせな!
あんたが1人《ひとり》でさわいでんでしょ!
はあはあ
へーんだ ちっとも こわくない よーだっ
でも ふるえている →
…ねェ美朱《みあか》 思《おも》ったんだけど
もし… あたしがあんたより先《さき》にこの本《ほん》を開《ひら》いてたら
あたしがこの物語《ものがたり》の主人公《しゅじんこう》に…「朱雀《すざく》の巫女《みこ》」になってたんだよね

鬼宿《たまほめ》に愛《あい》されたのは あたしだったかも知《し》れないんだよね
何《なに》言《い》っ…
え
ガクン
か…身体《からだ》が しびれる…？
ゴロゴロゴロ…
…苦《くる》しい…？ そうよね ここ青龍廟《せいりゅうびょう》なんだって！ 朱雀《すざく》の者《もの》は入《はい》れないって …だから

あんたの鬼宿《たまほめ》は来《き》てくれないよ
ゆ…い？
何《なに》…ふざけ…てるの…？
ぐいっ
ふざけてんのはどっちよ！あたしのためじゃない…鬼宿《たまほめ》のためにこっちに戻《もど》って来《き》たくせに！
いいよね あんたは…そうやって誰《だれ》にでもなついて護《まも》ってもらって…昔《むかし》っからそうだった！

こっちに来《き》て あたしが どんな思《おも》いを したか…
何《なに》もかも あんたのせい だよ!!
…ねェ 美朱《みあか》
あたし 鬼宿《たまほめ》が 好《す》きなの
だから彼《かれ》を あんたから 取《と》ってあげる!!
心宿《なかご》!!
スッ

はい
青龍《せいりゅう》の巫女《みこ》
紹介《しょうかい》するよ 彼《かれ》は「青龍七星《せいりゅうしちせい》」の心宿《なかご》 …あたしの下僕《しもべ》だって! おもしろいじゃん!
…唯《ゆい》
じゃ またね 美朱《みあか》
唯《ゆい》…

唯《ゆい》!! 待《ま》って——!!
どうして!?
スイッ
…唯様《ゆいさま》が青龍《せいりゅう》を呼《よ》び出《だ》すまで誰《だれ》にも邪魔《じゃま》はさせん
死《し》ね
きゃあっ

案の定大好評!?
パロってごめんね改め

ふしぎ悪戯(4)

こっちに来《き》てあたしがどんな思いをしたか…
何《なに》もかも・・・・・・あんたのせい・・だよ!!
…ねェ美朱《みあか》
あたし鬼宿《たまほめ》が好《す》きなの
だから彼《かれ》をあんたから取《と》ってあげる!!
心宿《なかご》!!

←またしてもアイデアM・Y先生

第《だい》十七回《かい》

離《はな》れゆく心《こころ》

きゃああっ
唯様《ゆいさま》が
青龍《せいりゅう》を
呼《よ》び出《だ》すには
お前《まえ》は邪魔《じゃま》に
なる
そして
この倶東国《くとうこく》にも
災《わざわ》いとなる
…このまま
紅南国《こうなんこく》へは帰《かえ》せん
…唯《ゆい》…

…唯《ゆい》！
待《ま》って…どうしてなの!?
「どうして」…？よく言《い》えるね
あんたホントはあたしのこと親友《しんゆう》なんて思《おも》ってないんでしょ？
よくわかったよ
あんな目《め》にあってもこの3か月《げつ》信《しん》じてたあたしがバカだった
!?
美朱《みあか》…
うわっ

つきしょーっ
扉《とびら》に近《ちか》づきも
できねェ!!
はぁ
はぁ
なんとか
ならねェのか
!!
……こうなれば
本気《ほんき》を
出《だ》させて
もらうのだ
ヨロ…
…唯《ゆい》…わけ…
わけを聞《き》かせて…!
…しつこい
娘《むすめ》だ
カッ

…美《み》朱《あか》――!!
ズー★
…んが
クスクス…

ガタン ゴトン…
ゆ…夢《ゆめ》か…
くすくす
……
四神天地書
本《ほん》落《お》ちましたよ
あ どーもっ
すみませんっ
「お兄《にい》ちゃん このリボン ずっと 持《も》ってて」
「お兄《にい》ちゃんと あたしをつなぐ 媒介《ばいかい》だから」
…!
…「四神天地書《しじんてんちしょ》」か… 思《おも》わず図書館《としょかん》から かっぱらって きちまったけど
誰《だれ》が信《しん》じて くれるんだよ… 妹《いもうと》がこの本《ほん》の中《なか》に 吸《す》い込《こ》まれた・なんて
リボン

ふしぎ遊戯③

Mさんいわく パソコンの楽しみといへば、やはりCG（コンピューターグラフィックス）だそうな。「ゲームでさ、1ステージクリアするとお楽しみがあるんでスよ」そのお楽しみとは!! 好きなキャラをぬがせる!!。とな
これだから20才こえた女たちは…「星宿ってさ、ホメておだてまくるとぬぎそうだよね」でもユーザーが男が多いことに気付いた私達はムチャクチャ言い始めた。「『裏ふしぎ遊戯』ってのは!?」「美朱と唯の役が学ランの美少年でさ、七星士が全員タイプの違う美少女!!」「こりゃー男にはたまりませんなあ」正統の「ふしぎ遊戯」を全ステージクリアするとこの男版が出来る…ちょっとーどっか作ってくれないかい。

あと考えたのは3等身井宿のぬいぐるみ。押すと「だっ」となくという。ああ、失礼しました。想像するとおもしろかったでしょ。全部ジョークだよ。

さて、話は変わって16話を読んで皆さんショックを受けられたようで。フフフ最初から唯はこーなると決まってたのでさ。だんな。なんと16話以降しか話を作ってなかったという…15話までよくぞ持ったものよのう。まー今回で「唯派」と「美朱派」に別れてしまいましたが、手紙読んで「はえ?」と思ったのが「16号読んで美朱ウソつきでキライ!」という方がチラホラいましたけど…あの一 12話から15話までも1回読み直して下さいな。鬼宿だまして唯を捜しにきた美朱の立場が…。ホントに理解して読んで下さってるのでせうか?。最初っから美朱キライならいーんですけど。

たまーにはき違えてる方がいらっしゃってなかなかおもしろいんですが、ま、いろいろ参考にさせていただいてます。とっころでゲームで思い出したけど（コロコロ話が変わるけどいつものことっス）引っこししたのはいーけど、ファミコンを外してもらったまんま引っこし屋さんにハメてもらい忘れた!!うあ〜「ファイナルファンタジーIII」があ!! まー時間がなくてしてませんがね。うちでは「ゲームボーイ」のほーが人気で。くさくさした時の気分転換には「パロディウスだ!」がもってこい。あ〜ゲームするヒマが欲しい。

七美少年のままだと同人界で大人気!?

ピタッ
フワッ
危《あぶ》なかった 激突死《げきとつし》するとこだったのだ!
…結界《けっかい》を破《やぶ》って朱雀《すざく》の者《もの》が入《はい》ってくるとは…
なるほど お前《まえ》 術《じゅつ》が使《つか》えるのか
井宿《ちちり》…?
ちょっと怒ってろのだ

バリ
バリ…
鬼
……み……
……美朱《みあか》————!!
バリバリッ
ハッ
唯様《ゆいさま》！
下《さ》がって…

く…っ
美朱《みあか》！オレだ 大丈夫《だいじょうぶ》か!?
鬼宿《たまほめ》…
鬼宿《たまほめ》…

鬼宿《たまほめ》！この笠《かさ》の中《なか》に美朱《みあか》と入《はい》るのだ！…あの方《かた》のところへ通《つう》じているのだ!!
…だめ！唯《ゆい》ちゃんが…
あの方《かた》…？
オイラがここをくい止《と》めてるうちに早《はや》く！
このまま逃《に》げるわけにはいかない
…唯《ゆい》!!
オレ達《たち》と来《こ》い!! 早《はや》く!!

鬼宿《たまほめ》
ズッ
させるか!
バシ
井宿《ちちり》…
パラ

…2人共《ふたりとも》
行《い》くのだ!!
おいらも
すぐ行《い》く!!
…美朱《みあか》
入《はい》れ!
ズ…
でも
唯《ゆい》ちゃんが
唯《ゆい》!!
また必《かなら》ず
助《たす》けにくる
からな!
待《ま》ってろ!
ズッ
待《ま》て…
スッ

!
申《もう》しわけありません唯様《ゆいさま》
いいよ心宿《なかご》
…すぐカタつけちゃつまんないじゃん
…それにしても鬼宿《たまほめ》…美朱《みあか》のために結界《けっかい》を越《こ》えるなんて…
…城南学院《じょうなんがくいん》!?
キーンコーンカーンコーン

じゃ あんた マジであそこ 受《う》けるの!?
しよーが ないじゃん …お母《かあ》さんが 望《のぞ》んでんだもん
…そっか… じゃ あたしも 志望校《しぼうこう》 城南《じょうなん》にしよっ かな
え?
幼稚園《ようちえん》から 面倒《めんどう》見《み》てきたんだ 高校《こうこう》も一緒《いっしょ》じゃ ないと
あんた 何《なに》しでかすか わかんないもんな!
がばっ
…唯《ゆい》ちゃん!
…ご… ごめん
パンツ 見えてるぞー
「ねっ唯《ゆい》ちゃん 同《おな》じ高校《こうこう》入《はい》ったらさ どっちが先《さき》に かっこいい彼氏《かれし》 見《み》つけるか 競争《きょうそう》しようよ」 「えーっじゃ あたしの勝《か》ちじゃん!」

「何《なに》それーーっ」
あははは
…か
美朱《みあか》!
…鬼宿《たまほめ》…
で!?
……
……
……
ぎゃーっ
ヘンターイ!!
違《ちが》う違《ちが》う
違《ちが》う!!
バキ

オレが脱《ぬ》がしたんじゃねェ！目《め》が覚《さ》めたら裸《はだか》で寝《ね》てて…
んとに乱暴な奴だなっ
傷《きず》…治《なお》ってる
ここは…？
さあ…井宿《ちちり》の姿《すがた》も見《み》えねェんだ
はっ
……
…どうした？
あたしのためじゃない鬼宿《たまほめ》のために戻《もど》ってきたくせに！
あたし鬼宿《たまほめ》が好《す》きなの…だから彼《かれ》をあんたから取《と》ってあげる！

…唯《ゆい》のことか? あの状況《じょうきょう》じゃ 仕方《しかた》なかったんだ
また機会《きかい》を 見《み》て必《かなら》ず助《たす》けに 行《い》こう
…違《ちが》うよ鬼宿《たまほめ》 唯《ゆい》ちゃんは自分《じぶん》から…
…あたし 倶東国《くとうこく》に 戻《もど》らなきゃ!!
…何《なに》!?
どうしても 唯《ゆい》ちゃんに 聞《き》きたいことが あるの!

唯《ゆい》ちゃんは鬼宿《たまほめ》を好《す》きだからってそれだけであんな態度《たいど》とつたりしない
シーツかしてよっ
まいてくんだからっ
バカ!! 1枚《まい》っきゃねーのにすっぽんぽんになっちまうだろっ!!
んぎぎぎっ
あ
こらこら元気《げんき》になったとたん何《なに》をしとる!
た
太《たい》一《いっ》君《くん》!?
これだから俗世界の若いもんはもー

じゃ ここは大極山《だいきょくざん》!?
久《ひさ》しぶりじゃの 美朱《みあか》 鬼宿《たまほめ》！
井宿《ちちり》が 突然《とつぜん》来《き》たと 思《おも》ったら 2人《ふたり》共《とも》傷《きず》だら
美朱《みあか》──っ 久《ひさ》しぶり──っ
幸《さいわ》い軽《かる》い 傷《きず》だったので すぐにわしが
治療《ちりょう》した 治療《ちりょう》した！
服《ふく》直《なお》した 服《ふく》直《なお》した！
ええい ちっとも 話《はなし》ができ
わーい わーい
でも どうして 井宿《ちちり》が…
だ
みんなに 見られた…
ブツ ブツ
おいら
ペリ
3年《ねん》ほど ここで修業《しゅぎょう》 させて いただいたのだ

…ではどうしても倶東《くとう》に戻《もど》せと言《い》うのか？
あたしどうしても唯《ゆい》に聞《き》きたいことがあるんです！
3か月前《げつまえ》唯《ゆい》に何《なに》があったか…
…もうちょっと離《はな》れて話《はなし》ができんか？
…どうしてもと言《い》うならわざわざ倶東《くとう》に戻《もど》らずともいいものがある
こちらへおいで！
?

わー
おっきい鏡《かがみ》!!
これは
わしのかわりに
この世界《せかい》の全《すべ》てを
映《うつ》し記憶《きおく》しておる
ピッ
ヘェ
ビデオ
みたいね!
3か月前《げつまえ》の倶東国《くとうこく》…
その唯《ゆい》とやらの状況《じょうきょう》も
映《うつ》っておる
はずじゃ
ごく…
ス———…

パッ
……美朱《みあか》……
…唯《ゆい》ちゃん！
どうやら下町《したまち》みたいだな！
はっ
…見《み》ろよ
あの女《おんな》
…ヘンな
かっこうだけど
上玉《じょうだま》じゃねェか
……

オレ達《たち》と遊《あそ》ぼうぜ
ほらこっち来《き》な!
ダッ
美朱《みあか》!
待《ま》て!!
つかまえろ!!
美朱《みあか》…っ

美朱《みあか》!!
助《たす》けて!!
うるせえっ!!
……
…美朱《みあか》!!
——どうして
応《こた》えて
くれないの!!
美朱《みあか》!!
美朱《みあか》——っ!!
…て
…めて

もういい…
止《と》めてー!!
ブッ
…だから…?
だから
手首《てくび》を切《き》ったの
…?
唯《ゆい》!!
…そうか
そちが
青龍《せいりゅう》の巫女《みこ》か!
ならば
早《はや》く青龍七星《せいりゅうしちせい》を
そろえて
青龍《せいりゅう》を呼《よ》び出《だ》し
余《よ》に見《み》せておくれ

朱雀《すざく》の巫女《みこ》を逃《に》がしたのは実《じつ》におしいが
あの娘《むすめ》の処置《しょち》はそちにまかせて良《よ》いのだな？
……
あたし…元《もと》の世界《せかい》に帰《かえ》ってる間《あいだ》唯《ゆい》の呼《よ》びかけに気《き》づかなかった
唯《ゆい》は…あんなにあたしとつながってたのに
…ど…して…？
あたしをこの世界《せかい》から出《だ》そうとしてかわりに引《ひ》きずり込《こ》まれて
あんな目《め》にあって…なのにあたしは…！

唯《ゆい》——!!
…美朱《みあか》は… 3か月前《げつまえ》もなにも応《こた》えてくれなかった
今度《こんど》も… あたしのために戻《もど》ってきてくれたんじゃなかった
なにが「一緒《いっしょ》の高校《こうこう》に行《い》こうね」よ
親友《しんゆう》だと思《おも》ってたのに… 許《ゆる》さない
——はい
朱雀《すざく》の巫女《みこ》は私《わたし》が「処理《しょり》」します

ふしぎ悪戯(5)

たった1文字変えるだけで

こんな取り返しのつかないことに!!

貴女も明日からやってみませんか?(なにをだ)

第《だい》十八回《かい》
あなたしかいない

朱雀《すざく》の巫女《みこ》は私《わたし》が処理《しょり》します
よくぞ言《い》った青龍《せいりゅう》の巫女《みこ》しばらくは朱雀《すざく》の巫女《みこ》のことはそちに一切《いっさい》まかせる
邪魔者《じゃまもの》が片《かた》づくまでもうしばらく紅南国《こうなんこく》を攻《せ》めるのは待《ま》つとしよう
攻《せ》め落《お》としたところで朱雀《すざく》の力《ちから》で再興《さいこう》されては我《わ》が軍《ぐん》のムダになるからな

…わかりました
美朱《みあか》…もう後戻《あともど》りできないよ
ズッ
あんたの願《ねが》いなんかかなえさせてやらない…
鬼宿《たまほめ》と幸《しあわ》せになんかしてやらない!
鬼宿《たまほめ》クン美朱《みあか》ちゃんの様子《ようす》は?
だめだ部屋《へや》に閉《と》じこもって呼《よ》んでも反応《はんのう》しねェ
このままじゃ…
ぬっ
だあっ

…お前《まえ》のためなら関係《かんけい》ねェ
…お前《まえ》この額《ひたい》の文字《もじ》なんだかわかるか？
鬼《おに》
ちがう!!
？
ガキん頃《ころ》はよくからかわれてイヤだったけどよ…
ドキドキ

やっと わかったんだ
これは お前《まえ》を護《まも》るための… お前《まえ》のために 生《い》きるための証《あかし》だって
鬼宿《たまほめ》……
…だめだよ やっぱり 離《はな》れられない

フワ フワ
えーん こわいよーっ
3年一緒だと さすがに なれたのだ
仕方《しかた》ない… わしにまかせて おけ!
美朱《みあか》ーっ
あたしのせいで あんな目《め》に あって…
どう つぐなえば いいの——!?
どうして あたしには 唯《ゆい》の声《こえ》が 聞《き》こえ なかったの——?
おぬし 元《もと》の世界《せかい》へ 帰《かえ》ってから〃媒介《ばいかい》〃を 外《はず》したじゃろ
たっ太一君《たいいつくん》!
…じゃ唯《ゆい》と 通《つう》じてた この制服《せいふく》 脱《ぬ》いだから——?
だからその間《あいだ》 本《ほん》の中《なか》の唯《ゆい》と 通《つう》じられなかったの!?

…だからおぬしの せいではない あの娘《むすめ》の不運《ふうん》だったのだ！
そんなのって ないわ!!
不運《ふうん》…？ そんな簡単《かんたん》に 片《かた》づけないで！
あの子《こ》 あたしを 助《たす》けようとして 代《か》わりにここへ 来《き》たのよ！
…どうしよう… どうしたらいいの あたし…
ス…
…美朱《みあか》 これを見《み》よ
え…？
ゴオオオ…

ふしぎ遊戯③

さて、まあ毎度上・Cについて問い合わせがありまして、1通抗議?のレターがありました。「公認がダメなんて先生は読者を遠のけてる」あの〜♪だってめし編集に止められたんスよ。いろいろ問題が過去にあったらしくて。私は、遠のける気もなくとてもそのお気持ちはうれしいザンス。でも思うんですけど「公認」ってのにそこまでこだわらなくても…っつーか私を思って下さってるワケでしょ。別に公認じゃないからって作家さんが認めてくれないってワケじゃないと思うのね。現に「私設で作りました」ってのもいくつも来てるし、それはちゃんと見てますし、だから会誌だの私のマンガでの同人誌など自由に作って送って下さってもいいよ、って前書いたと思うんだけどなあ。私はパロられるのはキライじゃないし(グロいのやつまんないのは×)雑誌として発売された時点で私のマンガは読んだ方それぞれのものになるわけであって、それぞれの感じ方やキャラへの愛情度があって、そこで始めて作品が完成する、みたいなね、何言ってんのかわからんが、つまりあなたの持ってるこの単行本があなただけの「ふしぎ遊戯」になるワケっスよ。わかるかなっ まんがってのは読む人のためのものだから ええ こんがらがったぜ だもんで、公認とか肩書き以前に、私を認めてコリを読んで下さってる皆様をワタセは認めてると。遠ざけてるわきゃないよっと。
くぁあー わけがわからん

―休ケイ―

だもんで私設はOKよ♡ でが?
おおっ エラソーなこと言ってて思い出したが10月、「思春期一直」出なくてすみません。
でも今回は私は悪くありません。そのかわりっちゃあなんですが93'にイラスト集が出る(ハズ)話は夏から聞いてたが、こーして書いときゃ大丈夫だろう フフフ出なかったらスマン。「思春期〜」&「ふしぎ〜」のカラーイラストで…え?描きおろし?ヘイヘイ♪がんばるザマスよ。あと最後これもよくある質問「小説のイラストは描かないんですか?」
…依頼がこないのよ ただそれだけ。
フッ 今回は質問にいーっぱいこたえたぞっと。
全部読まれた方、ごくろーさまでした。

いちばんごくろーなのはオレだよオレ!!

フワ
フワ
……
スーパーマン!!
ビッ
アホ!! 下《した》をよく見《み》ろ!!
あれ? あれは…
星宿《ほとほり》…
フワッ
陛下《へいか》! 少《すこ》しお休《やす》み下《くだ》さい この何日《なんにち》か お食事《しょくじ》はおろか 睡眠《すいみん》もとられてないのでしょう?
柳宿《ぬりこ》…? あたしが見《み》えてないの? 2人《り》共《とも》…

国《くに》のこともだが
美朱《みあか》のことを
思《おも》うと何《なに》も
口《くち》に入《はい》らぬ
無事《ぶじ》で
いてくれれば
良《よ》いが…
ズキン
大丈夫《だいじょうぶ》ですよ
鬼宿達《たまほめたち》がついてますし
あの娘《こ》は
「朱雀《すざく》の巫女《みこ》」
なのですから！
…そうだな…
きっと元気《げんき》な姿《すがた》で
帰《かえ》ってきて
くれるであろうな
星宿《ほとほり》
柳宿《ぬりこ》…
倶東国《くとうこく》が
この国《くに》を攻《せ》めて
くるとは本当《ほんとう》か？
!
どうやら
すでに西《にし》の端《はし》の村《むら》は
敵軍《てきぐん》に侵入《しんにゅう》されて
いるとか…
ひそ
ひそ
なんの…我《われ》らには
「朱雀《すざく》の巫女《みこ》」が
おられるでは
ないか！

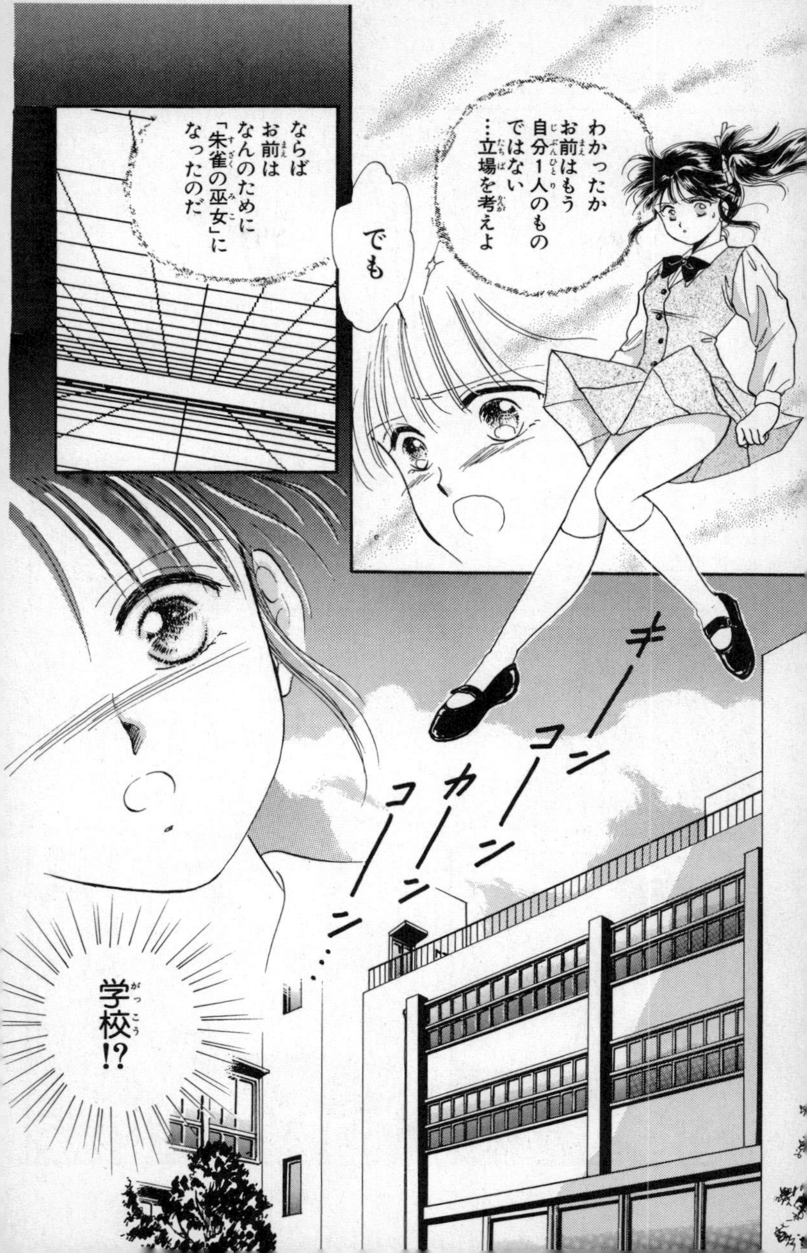

わかったか お前《まえ》はもう 自分《じぶん》1人《ひとり》のもの ではない …立場《たちば》を考《かんが》えよ
でも
ならば お前《まえ》は なんのために 「朱雀《すざく》の巫女《みこ》」に なったのだ
キーン
コーン
カーン
コーン…
学校《がっこう》!?

「受験《じゅけん》」…そうだ あたし高校《こうこう》 受《う》からなきゃ!
城南学院《じょうなんがくいん》に 受《う》かるのよ
唯《ゆい》と一緒《いっしょ》に行《い》こうって
フッ
…あ あれ!?
幻覚《げんかく》じゃよ さて…自分《じぶん》の なすべきことは 見《み》つかったか？
そうだ…
どんなに 悩《なや》んでも 今《いま》のあたしには どうしようも ない

本《ほん》の中《なか》に入《はい》つたことも
朱雀《すざく》の巫女《みこ》になつたことも
唯《ゆい》のことも
現実《げんじつ》なんだ
逃《に》げるわけには
いかない
だつたら
今《いま》のあたしに
できることは…
美朱《みあか》!!
…ごめんね
2人共《ふたりとも》
心配《しんぱい》かけて…
でももう
大丈夫《だいじょうぶ》!
紅南《こうなん》へ帰《かえ》ろう!
朱雀七星《すざくしちせい》の
残《のこ》り3人《にん》見《み》つけに
行《い》くわ!
にこっ

美朱《みあか》…
だ
すっ
鬼宿《たまほめ》… あたしと唯《ゆい》は 敵同士《てきどうし》に なっちゃったの
…あれ？
ポリ ポリ
元《もと》に戻《もど》るには 朱雀七星《すざくしちせい》を 7人《にん》そろえて 朱雀《すざく》を呼《よ》び出《だ》す しかないの
そうすれば 全部《ぜんぶ》うまくいく
「唯《ゆい》と元通《もとどお》りに なって2人《ふたり》で 受験合格《じゅけんごうかく》させて」
「星宿《ほとほり》のために この国《くに》を 護《まも》って下《くだ》さい」
そのために… あたし あなたへの 気持《きも》ち 忘《わす》れて がんばる
それに 唯《ゆい》はあなたのこと…

どうなさいました
唯《ゆい》様《さま》
スッ
…別《べつ》に
…あの朱雀《すざく》の少年《しょうねん》を思《おも》っておられたのですか？
唯《ゆい》！
…そうですね…それは良《よ》いかもしれない
…え何《なに》？
あの少年《しょうねん》…「鬼宿《たまほめ》」をご所望《しょもう》なのでしょう？

ならば
フッ
…あなたの
お望《のぞ》みのままに
…陛下《へいか》！
朱雀《すざく》の巫女《みこ》が…!!
ただいま
星宿《ほとほり》…
太一君に帰してもらった
……
美朱《みあか》…！

美朱《みあか》…！
ぎゅうっ
良《よ》かった！無事《ぶじ》だったのだな
ムッ
うん！井宿《ちちり》が太一君《たいいつくん》の所《とこ》へ連《つ》れてってくれて…
ごめんなさい心配《しんぱい》かけて…

あ
あたし
つかれたから
部屋《へや》戻《もど》るわ
そだ!
井宿《ちちり》
紹介《しょうかい》するね
だ
スッ
きゃーーっ
柳宿《ぬりこ》っ
あいかわらず
オカマそー
じゃん!!
きゃーっ
美朱《みあか》っ
あいかわらず
バカそーじゃん!!
だーーっ
てれてる↓
?
美朱《みあか》!
でっ
友達には
会えたのっ?
えっ
あ…うん
まあ
…
…あんの
ヤローッ
……

ズカズカズカ
アー
美朱《みあか》!!
話《はなし》が…
ひく
ひくっ
ガクッ
何《なに》してンだ
お前《まえ》は!!
ゲホ
ゲホッ
おなか
すいてたから
入《はい》るだけ
食《た》べ物《もの》つっこんだ…
……
なんだコレ
?
くいっ

H《エッチ》!!
…な…なんだコレ?
向《む》こうから持《も》ってきたものよ!
まったくなんにもわかんないんだから
仕方ないけど
キャミソールをきてる
そ～～～っ
鬼宿《たまほめ》!!
はっ
違《ちが》う!!オレはこんなことをしに来《き》たんじゃない!
ついクセでっ
…なんでオレをさけるんだ!

……
…鬼宿《たまほめ》 あたし明日《あした》から 朱雀七星《すざくしちせい》を 捜《さが》しに行《い》くの
それとこれと なんのカンケーが ……
…あたしは 朱雀《すざく》の巫女《みこ》で あなたは 朱雀七星《すざくしちせい》なの
…けじめ つけなきゃ！
だから これから 勝手《かって》に部屋《へや》 入《はい》ってきちゃ ダメだよ！
それと…

だめ
放《はな》して鬼宿《たまほめ》！
じたばた
放《はな》さない！ワケのわかんねェこと言《い》われて「はい そーですか」って言《い》うこと聞《き》けるか！
わかんないの!?

わかんなかったの?
唯《ゆい》はあなたのこと好《す》きなんだよ!
カタン
…星宿《ほとほり》…!!

星宿《ほとほり》！やめて…
…申《もう》し開《ひら》きがあるなら聞《き》こうか鬼宿《たまほめ》
…もっともどんな言《い》い訳《わけ》をのべても許《ゆる》しはしないが

言《い》い訳《わけ》などいたしません
…ただこれだけは言《い》わせて下《くだ》さい
…オレは美朱《みあか》が好《す》きです
――だからたとえ誰《だれ》であろうと渡《わた》さない

鬼宿《たまほめ》……
……
くす…
…国《くに》の主《あるじ》に向《む》かってたいした度胸《どきょう》だ
安心《あんしん》しろ お前《まえ》は朱雀七星《すざくしちせい》殺《ころ》すことはできぬ
…ただし

——お前《まえ》が私《わたし》を1人《ひとり》の「男《おとこ》」とみなしたなら 私《わたし》もただの「男《おとこ》」になる
…美朱《みあか》 お前《まえ》を愛《あい》する 1人《ひとり》の男《おとこ》にな
ドキン
パタン
へたっ
……
ぜーはー ぜーはー
あー 怖《こわ》かった ものすごく 怖《こわ》かった!
……
バカ!!
ホントに 殺《ころ》されでも したら どーすんの!?
相手《あいて》は皇帝《こうてい》なんだからね! 一番国《いちばんくに》でエライ 人《ひと》なんだから…
…

こんなに好《す》きだもん
…ずっとそばにいてくれる…？
絶対《ぜったい》離《はな》れたりしない？
…あなたしかいない
…あたり前《まえ》だろ
バーカ
…ごめん唯《ゆい》
星宿《ほとほり》

ヒュッ
バッ
…気《き》をつけろ 2人共《ふたりとも》! 何《なに》か邪悪《じゃあく》な気配《けはい》がする!!
なんだ この気《き》は…!?
バタ
バタ
……朱雀《すざく》の巫女《みこ》に 告《つ》ぐ

誰《だれ》だ!?
…我《われ》は倶東《くとう》よりの使者《ししゃ》 よく聞《き》け
我《わ》が国《くに》は すでに紅南《こうなん》に進軍《しんぐん》し 村《むら》を数《すう》か所《しょ》 落《お》としたのは周知《しゅうち》の通《とお》り
もし これ以上《いじょう》の 戦火《せんか》を くいとめたくば
朱雀七星《すざくしちせい》が一《いち》・「鬼宿《たまほめ》」を 倶東《くとう》へ献上《けんじょう》せよ
鬼宿《たまほめ》を 倶東国《くとうこく》へ…!?

〈ふしぎ遊戯《ゆうぎ》〉③＊おわり＊

1992年少女コミック1号より連載

ふしぎ遊戯③

少コミフラワーコミックス

1992年12月20日初版第1刷発行　　（検印廃止）
2000年7月25日　第25刷発行

著者　　渡瀬悠宇

発行者　　辻本吉昭

印刷所　　凸版印刷株式会社

PRINTED IN JAPAN

発行所　（101-8001）東京都千代田区一ツ橋二の三の一　株式会社 小学館
振替　00180―1―200
TEL　販売03(3230)5749　編集03(3230)5485

ISBN4-09-134353-8

渡瀬悠宇のフラワーコミックス

少コミ
フラワーコミックス

妖しのセレス 全14巻

御《み》景《かげ》妖《あや》は、羽衣伝説の天女を先祖に持つ高校生。妖は天女の血が一族で最も濃い事から命を狙われ人格を失ってしまう。その彼女の肉体によみがえったのは…!?

●渡瀬悠宇のFC

天晴《あっぱれ》じぱんぐ！ ①〜②
ふしぎ遊戯 全18巻
エポトランス！舞 全2巻
思春期未満お断り 全3巻
続・思春期未満お断り 全3巻
●渡瀬悠宇傑作集
①ごめん遊ばせ！
②マジカル・ナン
③おてなみ拝見！
④砂の王冠《ティアラ》
⑤ミントでKiss me《キスミー》
●悠宇とぴあコレクション
①おいしいSTUDY
②結び屋NANAKO

●FCデラックス

思春期未満お断り 全3巻

●渡瀬悠宇イラスト集

不思議遊戯
（ふしぎ遊戯イラスト集）
紡歌〜天つ空なる人を恋ふとて〜
（妖しのセレスイラスト集）

Fc 渡瀬悠宇のフラワーコミックス

ふしぎな古書・「四神天地書《しじんてんちしよ》」の世界に吸い込まれた美朱《みあか》。そこで神獣・朱雀《すざく》の巫女《みこ》となった美朱は、七星士《しちせいし》を探す旅に出発するが…!? 次元を超えたミラクルアドベンチャー!!
ふしぎ遊戯
全18巻